MODERATE LEVEL

CHINESE PINYIN TEST SERIES

找拼音的游戏

PART 12

YULE GUI 归好乐

ACKNOWLEDGEMENT

It has been a long-cherished dream to help the foreigners learn and appreciate Chinese language and culture. Finally, I am able to write books to help students of Mandarin Chinese. I would like to take this opportunity to thank everyone who helped me write this book!

INTRODUCTION

Test your Chinese pinyin skills! This book provides you a series of multiple answer type questions. These are simple pinyin search mind games (找拼音的游戏). You need to find the correct pinyin of the given Chinese characters. Answers have been provided at the end of the book.

CONTENTS

CHAPTER 1: 问题 (1-30)

1. Find Pinyin of 避, 馨, and 含.

Máng	Wù	Xuàn	Kān
Huī	Nǎn	Mì	Shà
Jià	Áo	Qū	Hán
Chún	Bì	Xīn	Tì

2. Find Pinyin of 客, 岘, and 罘.

Kè	Bó	Xí	Zhuī
Qiào	Yì	Duǒ	Xì
Fú	Wèi	Nì	Zhāo
Duó	Xiàn	Hào	Gēn

3. Find Pinyin of 乱, 椅, and 餐.

Chuī	Páng	Dàng	Chū
Mí	Pán	Qià	Cān
Hù	Pì	Jū	Yìn
Qù	Yǐ	Zhāi	Luàn

4. Find Pinyin of 枯, 起, and 耿.

Liào	Gěng	Líng	Kū

Yào Diǎn Léi Qǐ

Zhù Juàn Bāo Hóng

Niào Gǔ Wān Āo

5. Find Pinyin of 皖, 冉, and 约.

Rǎn Yù Ái Céng

Yuē Wǎn Mò Qiào

Yuán Qī Qióng Jiāo

Měi Chī Pàn Tū

6. Find Pinyin of 瓠, 身, and 击.

Hú Luò Dìng Jī

Mì Hù Dīng Sōu

Léi Jú Shēn Bǎo

Zǐ Kān Jì Ér

7. Find Pinyin of 魅, 齿, and 突.

Fān Zhǐ Jiān Zhāng

Ōu Pá Féng Chǐ

Wāng Bá Fù Tǐng

Tū Dí Mín Méi

8. Find Pinyin of 权, 施, and 晨.

Quán Shèng Chén Xìng

Wàng Jiān Shī Fú

Dān Àn Jiān Jìng

Gōng Wěi Chén Hǎo

9. Find Pinyin of 郓, 剐, and 灭.

Yùn Jú Tāng Shǒu

Nù Bēn Liú Pǎng

Xuán Jù Nuó Yì

Gū Miè Jǔ Guǎ

10. Find Pinyin of 翌, 旭, and 骷.

Sī Xīng Bèi Kē

Yì Xù Sì Qù

Chī Wàn Dàn Shēng

Suí Shē Kū Chāo

11. Find Pinyin of 邺, 亨, and 雀.

Yì Tào Huàn Huò

Hēng Shēng Cuān Bèi

Chén Kuí Qiǎo Kuí

Huī Bì Xī Dí

12. Find Pinyin of 江, 飕, and 逐.

Yǐ Lùn Miǎn Shòu

Zhú Biàn Xiǎn Yǎ

Sōu Chā Qiě Kuāng

Jiǎo Kù Jiāng Náng

13. Find Pinyin of 沫, 粘, and 厕.

Mò Xuē Mò Dàng

Juàn Mò Nián Biàn

Měng Bìn Pàn Huáng

Lìn Cè Gāng Duó

14. Find Pinyin of 扇, 郜, and 松.

Bīn Gào Pí Dú

Zhí Lú Lù Guō

Juǎn Sōng Liè Zī

Shān Yàn Shì Yǐ

15. Find Pinyin of 霎, 州, and 沸.

Fèi Juàn Yǔ Zhì

Xià Zhōu Kù Bàng

Yǒu Tāng Shà Fǎ

Guā Hù Yūn Shuò

16. Find Pinyin of 芒, 糖, and 壶.

Chén Gòng Tián Táng

Shì Bǐ Máo Máng

Chī Féng Hǔ Máng

Xù Xuán Guī Hú

17. Find Pinyin of 窨, 匡, and 髋.

Kuān Pī Jiā Là

Shè KuāngQū Shèng

Tíng Yǐ Yùn Guàn

Fá Xiáng Gū Xūn

18. Find Pinyin of 剥, 罡, and 乩.

Hū Jī Guì Cuān

Shè Xún Tuǒ Jì

Bāo Yú Shǔ Kǒng

Jī Yì Suǒ Gāng

19. Find Pinyin of 卓, 仙, and 窀.

Tán Píng Jīn Yuán

Wèi Shè Zhěng Xún

Bèi Xiān Jù Zhūn

Zhuō Qiè Fèi Hàn

20. Find Pinyin of 殒, 昀, and 午.

Wǔ Yún Jiè Yǔn

Ráng Hé Dàn Sháo

Zǒng Hóng Nuó Wǎn

Jiǎ Zhǎo Juéduì Gá

21. Find Pinyin of 餐, 另, and 获.

Zhú Lìng Yùn Xiào

Sè Yān Bō Diàn

Rú Chén Cān Huò

Láo Hǎ Yǔn Jù

22. Find Pinyin of 酷, 蛮, and 孝.

Zāi Bō Xiào Xiè

Jiàng Tuó Chàn Qiào

Hún Huò Cài Xiàn

Bǎi Pó Kù Mán

23. Find Pinyin of 员, 秴, and 辙.

Lū Huō Kě Lì

Jiāng Měi Tiān Yuán

Qū Shǒu Lún Bǎn

Quán Dào Zhé Biāo

24. Find Pinyin of 陆, 髓, and 印.

Bì Chī Bàn Lù

Yìn Xiào Liù Wú

Bǎo Fǎ Rǔ Suí

Qǐ Suǐ Ér Huà

25. Find Pinyin of 砋, 蜚, and 畿.

Jī Bì Róu Mò

Mù Gǔ Xíng Chū

Qíng Chū Fēi Píng

Qiān Xuàn Tīng Chuān

26. Find Pinyin of 沔, 禵, and 丞.

Yìn Jì Yāo Yú

Pí Chūn Zhōng Qià

Chén Wěi Piào Chéng

Rén Yù Tùn Miǎn

27. Find Pinyin of 碍, 元, and 矻.

Qié Fū Yù Ài

Xiáng Liú Lóng Chuǎng

Nuó Tàng Yuán Jiǎo

Zhú Kū Shè Sī

28. Find Pinyin of 曜, 巫, and 宾.

Jiè Dīng Mà Tóng

Chán Xún Jiā Hàn

Bīn Xī Chū Yào

Yāng Wū Gū Bó

29. Find Pinyin of 怠, 昧, and 碎.

Páng Ái Dài Lù

Suì Shì Shāo Mò

Léi Biàn Zhāng Jì

Kǒng Mǐn Nú Suàn

30. Find Pinyin of 爽, 耥, and 郫.

Ná Shuǎng Jiǎo Chāng

Wù Bù Xún Tāng

Fū Zhǔn Fēng Wàng

Pí Lǎng Ào Liǎn

CHAPTER 2: 问题 (31-60)

31. Find Pinyin of 万, 扉, and 脸.

Fēi Tà Wàn Shū

Zuǒ Mò Jiù Kǒng

Liú Jìn Dàn Jiá

Liǎn Zhú Bì Jiǎo

32. Find Pinyin of 笛, 霂, and 割.

Gē Juàn Dí Yòu

Jiù Qiè Guì Dài

Dǎo Shòu Yù Nèi

Āi Hù Mù Zhāng

33. Find Pinyin of 猛, 鲌, and 印.

Yìn Zhí Shú Qìng

Gé Bà Fěi Jī

Nà Luán Chēng Cūn

Tào Měng Gǎ Bèi

34. Find Pinyin of 鐖, 鲍, and 室.

Zhū Shǐ Jí Tǐng

Zhù Wāng Yuè Rú

Chēn	Jī	Bào	Zhōng
Rén	Shì	Líng	Guō

35. Find Pinyin of 关, 珀, and 茂.

Mào	Zhàng	Zhì	Fēi
Huì	Xī	Fèn	Chuān
Guān	Lán	Zhī	Pò
Dān	Fá	Qiào	Lìn

36. Find Pinyin of 席, 郝, and 野.

Nuó	Liú	Jì	Jì
Tóng	Shū	Máng	Kuàng
Yě	Hǎo	Zhā	Guì
Dí	Xí	Chóu	Luǒ

37. Find Pinyin of 矣, 蹴, and 飑.

Chóu	Cù	Yǎn	Fēng
Biāo	Sù	Sū	Fèn
Zhuì	Guǐ	Dào	Jīng
Yǐ	Ruì	Pān	Lí

38. Find Pinyin of 辨, 汇, and 空.

Dǐng Shān Yùn Yù

Jiào Cuò Lán Huì

Quán Fáng Zòng Mó

Yì Biàn Jīn Kōng

39. Find Pinyin of 耸, 犀, and 愤.

Píng Chún Tēi Xī

Cǐ Fèn Tóng Píng

Lì Kū Sǒng Qù

ChéngWěi Chèn Capture

40. Find Pinyin of 答, 她, and 熏.

Chǐ Qiǎ Cè Chì

Wěi Xūn Yān Dá

Tā Yǎo Qiāng Ào

Qī Qiǎo Jiāo Tāi

41. Find Pinyin of 句, 婶, and 寄.

Shěn Chuān Fū Kǒng

Què Sā Kuí Jì

Hé Hàn Mù Sài

Lóng Jù Tuó Kàng

42. Find Pinyin of 曝, 乘, and 扈.

Lú Hú Lín Jiǔ

Pǎng Pù Yú Hū

Chéng Qū Mò Dǎn

Zhī Jiāo Qǐng Chǐ

43. Find Pinyin of 灰, 摹, and 姑.

Zhù Huì Mó Zhào

Dì Shǐ Mù Mò

Ròu Dǐ Léi Hài

Gū Chéng Hàn Huī

44. Find Pinyin of 刮, 猴, and 馕.

Lóng Cuī Kuàng Náng

Tián Tán Yòu Yùn

Míng Chōng Hóu Xīng

Tiāo Guā Huàng Yí

45. Find Pinyin of 曝, 陕, and 蜈.

Kuài Xī Huī Shǎn

Jiāng Qiè Biān Shào

Xì Yīng Yuē Wú

Pù Jiā Zhǎn Kūn

46. Find Pinyin of 魇, 瓻, and 姑.

Jǐng Gū Xià Bù

Miǎo Guì Xiàn Yǎn

Xiū Huà Zhāi Chū

Dào Nǔ Sūn Wān

47. Find Pinyin of 卧, 泻, and 递.

Hái Fèn Tú Dì

Jù Rěn Wò Róu

Shǐ Jǐn Hún Cóng

Qí Jiè Xiè Zhì

48. Find Pinyin of 刻, 艮, and 郦.

Tián Fān Yǔn Zuì

Hé Kè Lì Tā

Kāng Cǐ Yàn Jiǎo

Gěn Shà ChàngBì

49. Find Pinyin of 斡, 沮, and 贺.

Miè Liǔ Wò Dàn

Hè Wò Jié Lù

Jù Yǎ Cǐ Zhēng

Guǐ Yán Pǒ Pó

50. Find Pinyin of 樊, 克, and 朝.

Chuāng Huá ZhuànFán

Kè Shā Huán Dù

Chí Suì Cài Xiāo

Cháo Capture Wén Wù

51. Find Pinyin of 巳, 机, and 凛.

Zhū Diào Jué Bèn

Sì Jī Cì Gāng

Lǐn Gě Fáng Fù

Jià Shāo Lù Chī

52. Find Pinyin of 邻, 霄, and 讨.

Tíng Huì Tǎo Shèn

Wā Luó Lín Dì

Jià Bèi Tiāo Wén

Xiá Gě Hán Xiāo

53. Find Pinyin of 赦, 有, and 环.

Huán Bān Zhāng Fán

Āo Shà Shè È

Bìn Yǒu Yán Chén

Zhì Xuě Pú Xiá

54. Find Pinyin of 豾, 犍, and 忠.

Tuǒ Fù Xiá Zài

Pī Lèi Lìn Sī

Zhōng Qián Cháng Qiān

Yāng Gū Yǔn Ruò

55. Find Pinyin of 缜, 昏, and 脑.

Hūn Fù Shù Xíng

Dǔ Nǎo Jiān Sāi

Wú Zhé Wèi Gē

Bàng Lǚ Qióng Zhěn

56. Find Pinyin of 郑, 仇, and 贡.

Jiǎo Chóu Kěn Guó

Zhǔ Guǐ Bàn Zhèng

Gòng Tóng Lóng Diàn

Àn Xiǎng Gǎ Jiǎo

57. Find Pinyin of 淞, 卡, and 旆.

Gǒng Jǐng Wěn Tíng

Wǔ Kǎ Yóu Ē

Cōng Sōng Jú Qíng

Nòu Biě Pèi Dēng

58. Find Pinyin of 竜, 俞, and 伤.

Mò Qiào Yú Lǒng

Liàng Jiàng Lóng Chù

Chuí Shāng Tè Liàng

Zhòu Mài Duān Suàn

59. Find Pinyin of 校, 昼, and 篁.

Gǔ Zhào Pēng Huáng

Jiào Hū Àn Kuǎn

Hán Sǎn Zhòu Cuò

Biàn Líng Zhǐ Chú

60. Find Pinyin of 边, 胭, and 魅.

Bāng	Gōng	Qín	Biān
Kù	Jīn	Yóu	Kòng
Huī	Yún	Wán	Féng
Xiàn	Bì	Mèi	Yān

CHAPTER 3: 问题 (61-90)

61. Find Pinyin of 鸸, 虺, and 隶.

Xún Gōng Jí Jiā

Lěi Huǐ Bì Lì

Ér Kāng Wǎn Fú

Jiào Qiāng Tà Méng

62. Find Pinyin of 南, 壘, and 盆.

Jǔ Wǎng Pì Tān

Gēng Dān Pén Wèi

Jiǎo Máng Jǐn Líng

Nán ChángLē Zhào

63. Find Pinyin of 曲, 郘, and 沏.

Fěng Huī Qí Zhèng

Lǚ Wā Dàn Qū

Lè Qī Yún Jiān

Zhě Xiù ChéngWéi

64. Find Pinyin of 将, 夔, and 拍.

Xiáng Jiàng Yún Jiàn

Kǎ Tiáo Táng Kuí

Pàn Shì Pāi Céng

Zhèng Qī Wāng Huì

65. Find Pinyin of 媛, 经, and 扁.

Wù Láng Yuán Dǐ

Diāo Ōu Dù Qǐ

Còu Bàn Chōng Lín

Jīng Lǐn Biǎn Gū

66. Find Pinyin of 甍, 姬, and 末.

Gōu Xià Shēn Zuǒ

Fèn Niáng Mò Fū

Méng Chá Zhà Jī

Gěn Sì Tǎn Céng

67. Find Pinyin of 趾, 旗, and 忠.

Láng Yī Shè Qí

Jiè Mào Zǐ Zhǐ

Kǎ Zhōng Shí Bō

Qiāng Bàn Hé Móu

68. Find Pinyin of 沮, 窣, and 拧.

Níng Lǐ Yōng Shāo

Sū Lóng Jìng Qiāng

Tiè Yú Fěi Hōng

ZhòngPán Zhě Jù

69. Find Pinyin of 笋, 冲, and 窗.

Yù Chuāng Níng Gōng

Páo Chōng Shè Yǔn

Zhóu Tāng Què Chǐ

Xiàng Nián Sǔn Pēng

70. Find Pinyin of 只, 痴, and 壬.

Zāo Cāng ZhēngCháo

Zhī Mó Piào Lù

Bǐ Rén Zhāo Chī

Wāi Kù Fān Zhóu

71. Find Pinyin of 琵, 陕, and 旧.

Pí Tǎn Pào Shǎn

Chóng Pò Bó Yé

Jìn Shā Jiù Jū

Zhū Fǎn Cǎn Shào

72. Find Pinyin of 郑, 谷, and 可.

Xǐng Xiàn Qióng Chī

Gān Gǔ Lìng Kě

Hóng Dì Zhèng Nián

Hé Mìng Jīng Jì

73. Find Pinyin of 截, 凶, and 絜.

Qín Liàn Yǔn Xiè

Xiāng Zhí Pàn Jié

Diàn Shèn Zhǎn Xiōng

Bàng Yú Guǐ Jié

74. Find Pinyin of 妥, 烯, and 卒.

Bēi Zú Ruò Tuǒ

Zhà Mù Háo Fú

Biàn Xī Duò Gěn

Xī Chái Xuàn Tiǎo

75. Find Pinyin of 那, 泥, and 亨.

Ruǎn Zhā Pì Gǎn

Yù	Xī	Nì	Yún
Jǐ	Pán	Pín	Guō
Liè	Nā	Hēng	Lì

76. Find Pinyin of 倡, 尘, and 浆.

Lì	Chén	Qiǎng	Yě
Miù	Xī	Wǎng	Wěi
Chàng	Qū	Tí	Jīn
Kěn	Zhǐ	Jiàng	Chén

77. Find Pinyin of 规, 尕, and 牵.

Zhé	Bèi	Jǔ	Fén
Jìng	Wā	Jiǎo	Jǔ
Pàn	Zhǎng	Shǐ	Àn
Máng	Qiān	Guī	Gǎ

78. Find Pinyin of 觑, 厨, and 乃.

Shì	Bīn	Chú	Nüè
Qíng	Piáo	Nǎi	Huán
Jī	Chāng	Dōng	Miè
Bèi	Ǎo	Qū	Gěng

79. Find Pinyin of 饿, 予, and 饱.

Yí	Chí	Pǐ	Chá
Xiǎng	Zhēng	Qián	Lí
Pǐ	Yǎn	Yōu	È
Bǎo	Pǐ	Gǔ	Yú

80. Find Pinyin of 娲, 泌, and 皃.

Zhēng	Mào	Mì	Bì
Biān	Bìng	Líng	Wā
Hàn	Yóu	Yíng	Wò
Yàn	Tā	Dài	È

81. Find Pinyin of 妻, 左, and 勾.

Gōu	Qī	Me	Bèi
Jué	Yín	Pàn	Zuǒ
Zǎo	Duì	Shòu	Zhù
Biě	Wǎng	Jiào	Lì

82. Find Pinyin of 嫑, 压, and 脜.

Fú	Dūn	É	Yāo
Yā	Féng	Áo	Bó
Xiàn	Kuān	Dāng	Náo

Lí Luàn Bà Piān

83. Find Pinyin of 注, 释, and 甲.

Mǐn Kuài Pián Shì

Mó Jiǎ Xiào Liàng

Zhù Mò Tuó Jué

Gěng Xù Ěr Wù

84. Find Pinyin of 捂, 背, and 床.

Wǔ ZhōngPáng Sāo

Xiǎn Chuáng ChàngMí

Qù Zài Líng Bēi

Pì Qiè ZhuǎnGěng

85. Find Pinyin of 松, 曦, and 黜.

Shì Suǒ Yíng Xiàng

Sōng Gē Míng Gāo

Sù Dàn Xīng Chù

Kù Bà Xī Gāng

86. Find Pinyin of 梵, 陇, and 委.

Shì Lǒng Piāo Shǒu

Wěi Cǎi Ní Qí

Dǔ ChēngZhí Féng

Páo Fèn Yuàn Fàn

87. Find Pinyin of 范, 毂, and 奴.

Gǎn Shé Bì Gǔ

Fú Gū Hóng Jiē

Mò Táng Chuí Mài

Nú Fàn Xī Pò

88. Find Pinyin of 龋, 猋, and 椅.

Gāo Cǎi Shāo Biāo

Liǎo Yǐ Zhèn Gēng

Jūn Juǎn Fēng Chèn

Dāo Qǔ Hán Yì

89. Find Pinyin of 赣, 渣, and 滋.

Sūn Zī Zhā Jù

Tián Zhòu Dǐng Shǔ

Gǒu Xiāo Yì Yǎn

Màn Xīn Gàn Xiáng

90. Find Pinyin of 月, 种, and 垒.

Xuàn Qǐ Mào Jìn

Sī Qí Xù Qī

Lěi ZhǒngYuè Jìng

Quán Miè É Xuán

CHAPTER 4: 问题 (91-120)

91. Find Pinyin of 半, 泽, and 厌.

Shù Yì Zé Huó

Yàn Biàn Bào Zhá

Péng Zú Liáng Dá

Bà Kuí Hào Bàn

92. Find Pinyin of 吉, 曼, and 达.

Wàn Kūn Dá Xiāo

Gǒng Fù Yán Shī

Yì Jí Mò Xiá

Yì Zāi Chòu Mó

93. Find Pinyin of 沏, 吝, and 狃.

Zhuō Guà Mǐn Zhòng

Dàn Pèi Qī Lì

Wǔ Huà Lìn Tēi

Lòng Jiàng Niǔ Yàn

94. Find Pinyin of 碗, 呼, and 魑.

Sù Hū Xíng Lā

Chén Lóng Chī Dǎo

Hái Rán Wǎn Tài

Liè Jié Huì Shī

95. Find Pinyin of 平, 沪, and 枯.

Píng Hù Yī Qiào

Pí Biāo Shú Kū

Qiú Bī Ruò Shēng

Xuàn Nǎng Shì Xiào

96. Find Pinyin of 爽, 舻, and 彩.

Suí Yán Gǎi Rùn

Bàng Táng Lú Huá

Fàn Cǎi Miǎn Jiān

KuàngXún Shà Ruǎn

97. Find Pinyin of 晞, 匍, and 夫.

Duì Yì Bié Xí

Què Táo Yōu Jì

Jī Pú Fú Yào

Piān Mǔ Zhuāng Xī

98. Find Pinyin of 粪, 坏, and 跟.

Sūn Yě Qìn Hōng

Huài Yǎn Bì Qué

Fèn Yù Fàng Miǎn

Chóu Chǎ Gēn Chuàng

99. Find Pinyin of 秃, 豨, and 考.

Lǒng Mí Tū Guān

Xī Wēn Kuài Kǎo

ChéngLiè Chà Liáng

Bāo Táng Xiāo Gē

100. Find Pinyin of 垃, 闻, and 鳌.

Qī Lā Dú Chōu

Dú Shuò Wén Xì

Áo Hóng Jū Mín

Qiáo Dié Zuò Xié

101. Find Pinyin of 黧, 蛇, and 虚.

Ē Yùn Nì Zī

Cǐ Shé Ān Jǐng

Hòu Lí Hú Chèng

Xū Lóu Zhī Kōng

102. Find Pinyin of 瓶, 省, and 将.

Lóng Píng Jiàng Shěng

Dù Wā Qǔ Áo

Xíng Hàn Xī Táng

Cǎi Bàn Bào Chuāng

103. Find Pinyin of 扈, 合, and 坝.

Jiāo Zā Fáng Kuāng

Wàng Bà Qī Zhèng

Gě Jiān Liào Shā

Liè Cù Xiǎng Hù

104. Find Pinyin of 搂, 弨, and 阴.

Gū Xǐng Rén Mù

Nián Féng Liǔ Yīn

Yì Yóu Kē Lǒu

Yuàn Fèi Chāo Jiān

105. Find Pinyin of 幺, 渡, and 吓.

Dù ChéngNí Liè

Liàng Táng Bàn Guī

Xiào Jì Shè Yāo

Gù Jǐng Hè Xìng

106. Find Pinyin of 航, 甍, and 觥.

ZhèngJué Méng Nā

Mò Miǎn Gōng Tā

Lìng Bò Háng Xǐ

Pàng Dēng Xīn Shào

107. Find Pinyin of 迅, 怂, and 郔.

Fù Yán Xùn Sǒng

QióngYuán Dèng Wěi

Qiāng Féng ChēngTí

Méi Pì Xiǎn Yù

108. Find Pinyin of 蜚, 吝, and 旬.

Xún Bèi Lòu Zhān

Yào Liàn Mián Qī

Hé Zhǎ ShāngGuì

Yāo gé Lìn Fěi

109. Find Pinyin of 富, 刮, and 狡.

Guā Chái Zhèng Hóu

Sì Gǔ Zhuàn Chuān

Miè Táo Nèi Hù

Kào Fù Jiǎo Shì

110. Find Pinyin of 超, 句, and 於.

Fěi Wū Bì Chāo

Jù Jià Shì Xūn

Cháo Fèng Tán Gāng

Huī Ái Xíng Jī

111. Find Pinyin of 江, 蜃, and 聿.

Shèn Zhuàng Qíng Xū

Zhí Xiàng Yì Qián

Fén Qū Guì Zhuī

Gài Dào Yù Gāng

112. Find Pinyin of 窕, 勾, and 受.

Fāng Gōu Sōng Sōng

Jiào Céng Hǎ Dàn

Zhǎng Dài Yì Zhǎn

Tiǎo Zhàn Shòu Què

113. Find Pinyin of 脏, 济, and 泼.

Luán Bǎo Luō Biǎn

Jī Niǔ Yì Xiàn

Zàng Zhí Chún Chí

Jǐ Pō Juàn Lì

114. Find Pinyin of 轴, 裴, and 豁.

Jié Pǐ Lóng Féng

Zuò Yàn Jì Tún

Gài Dàng Péi Jīng

Chén Xiān Zhóu Jiào

115. Find Pinyin of 壬, 符, and 贺.

Cuàn Bēn Rén Wā

Shèn Hè Jiè Suǒ

Chóu Hóng Jiàng Mò

Fú Kāi Lǐng Zhòng

116. Find Pinyin of 蓥, 谊, and 瑕.

Xiá Bǐng Mèi Yíng

Huī Shěn Gù Xiàn

Xī Yù Yì Fēng

Cuān Hú Yè Xīn

117. Find Pinyin of 窜, 訇, and 褪.

Shù Zhā Shòu Gōu

Fēi Yáo Guó Tùn

Hōng Chuāng Cuàn Chuài

Chóu Mì Kuǎn Qià

118. Find Pinyin of 彦, 初, and 髁.

Hù Nán Chāo Shì

Mù Yàn Shì Chī

Lín Pí Kè Xiāo

Chū Bì Kē Shuāng

119. Find Pinyin of 赶, 豦, and 外.

Bìng Shèng Xùn Yí

Fù Shì Qì Mèng

Jù Xiàn Dú Táng

Wài Gǎn Jú Fáng

120. Find Pinyin of 汍, 愡, and 蜇.

Jiŭ	Lā	Wán	Qià
Hū	Péng	Jŭ	Yā
Bì	Tái	Shuăng	Yī
Yŏng	Xiàn	Guăn	Zhē

CHAPTER 5: 问题 (121-150)

121. Find Pinyin of 扇, 刺, and 属.

Cī Shì Shěn Zhǒng

Wā Bì Wā Zhào

Shàn Qián Lì Kòng

Zhǔ Jīng Fù Jì

122. Find Pinyin of 滋, 癫, and 唇.

Pó Zì Zī Shān

Fá Xiá Lí Qiān

Diān Mā Suí Èi

Shì Chún Liú Zhì

123. Find Pinyin of 馋, 耽, and 月.

Liǔ Liè Dān Yīn

Dāngē Chuǎng Fán Chán

Hěn Kuí Huá Yuè

Cháo Dá Dā Kù

124. Find Pinyin of 贾, 亭, and 演.

Tíng Guāng Dài Wò

Yǐ Líng Yù Zhài

Wén Shè Dǎ Tā

Jiǎ Yù Chén Yǎn

125. Find Pinyin of 称, 辱, and 旖.

Nài Zú Lì Chēng

Chuàn Fěi Pò Mài

Xī Nuò Yǐ Hāng

Rǔ Jiān Gá Qì

126. Find Pinyin of 致, 房, and 够.

Dòu Yù Jiàn Jī

Táng Pāo Hé Kòng

Fáng Zhì Gòu Shāng

Yuē Xū Kuàng Nǎo

127. Find Pinyin of 疫, 吝, and 辩.

Méi Sǎn Bēn Hǔ

Qià Hésè Què Fù

Yáo Lìn Biàn Mài

Jí Yì Xiǎng Lián

128. Find Pinyin of 窈, 美, and 炭.

Tàn Yǎo Cū Zàng

Tán Gū Shū Fāng

Rú Fáng Lóu Chén

Xū Yù Měi Jīng

129. Find Pinyin of 橘, 卒, and 鳔.

Jú Yì Qǐ Hún

Biào Jìn Èr Nì

Fèn Méi Guī Zhèng

Wò Cù Yìn Gé

130. Find Pinyin of 关, 粽, and 曜.

Hēng Yǐ Pǒ Mài

Gū Yào Zòng Guān

Shǐ Nuó Bì Shéng

Shàng Hè Dí Kào

131. Find Pinyin of 挚, 熟, and 巷.

Wén Yáng Chái Nà

Qǐ Nè Jìn Ná

Shú Nù Liàng Ào

Chàng Hàng Shì Qū

132. Find Pinyin of 炉, 桂, and 觚.

Liáng Lú Fěn Guì

Chī Huò Chǎ Fú

Fù Mǎo Gū Nuó

ChēngYàn Xiè Shòu

133. Find Pinyin of 耶, 田, and 趔.

Pī Zhà Duò Tián

Jǐn Ōu Liè Yé

Jiǎ Lì Jiǔ Lóng

Lì Wéi Bó Còu

134. Find Pinyin of 巡, 堂, and 欲.

Qū Cuò Sǒng Yù

Huá Pú Láng Táng

ZhēngZāng Liào Xún

Zā Lìng Zhòu Cè

135. Find Pinyin of 饰, 唐, and 絮.

Fēng Xīn Sān Yǔn

Xù Shì Què Piāo

Èr Lóng Hào Gěng

Táng Shèn Huí Suí

136. Find Pinyin of 既, 笨, and 醐.

Qián Hú Chǔ Qí

Jiè Jì Bèn Běi

Zhèng Chóng Suǒ Gā

Jiān Mǎo Dǔ Hàn

137. Find Pinyin of 龉, 艮, and 痘.

Yí Ní Huān Zhǐ

Xiāng Yǔ Pán Gēn

Gòu gèn Shōu Fēng

Dòu Chǐ Dào Kē

138. Find Pinyin of 廉, 吉, and 减.

Dài Qí Duì Pì

Jí Rùn Zhí Yí

Lián Jiào Zhī Hàng

Chàng Jiǎn Xié Lián

139. Find Pinyin of 薪, 贱, and 甪.

ChàngXún Jiù Pú

Qǔ Xīn Dài Mài

Hào Zhài Shē Gàn

Jiàn Āi KuàngĒi

140. Find Pinyin of 銮, 扇, and 戒.

Míng Zuǒ Lòu Jǐn

Máng Luán Jiè Jié

Mā Xūn Bǐng Xī

Shàn Qì Zhě Dān

141. Find Pinyin of 我, 韦, and 鞝.

Yāo Wéi Xià Tàng

Gū Fén Fù Ài

Ái Bì Gòu Tān

Nù Wǒ Zī Bàn

142. Find Pinyin of 殂, 畜, and 圾.

Cú Shàn Fá Chāo

Nài Dùn Guāi Tiǎn

Chá Jìshēng Fèi Chóu

Xù Lí Jué Jī

143. Find Pinyin of 驮, 亡, and 普.

Sī Shēn Chèn Lì

Má Pǔ Xiáng Wáng

Cù Qiǎ Qiǎng Zhàn

Tián Duò Luǒ Zhī

144. Find Pinyin of 窊, 笋, and 稚.

Sòng Sì Sǔn Xiǎn

Wā Zhì Xiū Jiē

Dǐng Dá Xī Hái

Xiá Bì Gēn Fán

145. Find Pinyin of 雕, 齟, and 魑.

Pí Chī Gū Xún

Shù Lǐn Mó Pán

Jǔ Zé Diāo Wān

Shà Chèn Gá Bì

146. Find Pinyin of 并, 断, and 赟.

Tán Duàn Zhēng Jī

Liáng Gāng Xī Yūn

Yíng Běn Páo Shāng

Yuán Huān Bīn Bìng

147. Find Pinyin of 辘, 殊, and 闻.

Pēng Gū Lù Mán

Táng Měng Niàn Hún

Dùn Shū Méi Wén

Jiāo Móu Bàn Tiān

148. Find Pinyin of 差, 忒, and 耧.

Qié Qī Chā De

Lóu Tè Yuán Nài

Shà Gài Huán Gěng

Jiǎ Jiǎ Luǎn Tóu

149. Find Pinyin of 重, 戡, and 置.

Sì Zhǔn Xī Kān

Guā Niàn Huá Chóng

Tài Kòu Mò Jū

Zhòng Ná Cí Wù

150. Find Pinyin of 拧, 符, and 索.

Huì Shè Guān Fú

Jiǎo Sì Níng Bàn

Guǐ Bó Hù Mào

Juéduì Shǎng Hóng Suǒ

ANSWERS (1-150)

#1. 避 (Bì), 馨 (Xīn), 含 (Hán)	#51. 巳 (Sì), 机 (Jī), 凛 (Lǐn)	#101. 黧 (Lí), 蛇 (Shé), 虚 (Xu)
#2. 客 (Kè), 岘 (Xiàn), 罘 (Fú)	#52. 邻 (Lín), 霄 (Xiāo), 讨 (Tǎo)	#102. 瓶 (Píng), 省 (Shěng), 将 (Jiàng)
#3. 乱 (Luàn), 椅 (Yǐ), 餐 (Cān)	#53. 赦 (Shè), 有 (Yǒu), 环 (Huán)	#103. 扈 (Hù), 合 (Gě), 坝 (Bà)
#4. 枯 (Kū), 起 (Qǐ), 耿 (Gěng)	#54. 豾 (Pī), 犍 (Qián), 忠 (Zhōng)	#104. 搂 (Lǒu), 弨 (Chāo), 阴 (Yīn)
#5. 皖 (Wǎn), 冉 (Rǎn), 约 (Yuē)	#55. 缜 (Zhěn), 昏 (Hūn), 脑 (Nǎo)	#105. 幺 (Yāo), 渡 (Dù), 吓 (Hè)
#6. 瓠 (Hù), 身 (Shēn), 击 (Jī)	#56. 郑 (Zhèng), 仇 (Chóu), 贡 (Gòng)	#106. 航 (Háng), 甍 (Méng), 觥 (Gōng)
#7. 魃 (Bá), 齿 (Chǐ), 突 (Tū)	#57. 凇 (Sōng), 卡 (Kǎ), 旆 (Pèi)	#107. 迅 (Xùn), 怂 (Sǒng), 郾 (Yán)
#8. 权 (Quán), 施 (Shī), 晨 (Chén)	#58. 竜 (Lóng), 俞 (Yú), 伤 (Shāng)	#108. 蜚 (Fěi), 吝 (Lìn), 旬 (Xún)
#9. 郓 (Yùn), 剐 (Guǎ), 灭 (Miè)	#59. 校 (Jiào), 昼 (Zhòu), 篁 (Huáng)	#109. 富 (Fù), 刮 (Guā), 狡 (Jiǎo)
#10. 翌 (Yì), 旭 (Xù), 骷 (Kū)	#60. 边 (Biān), 胭 (Yān), 魅 (Mèi)	#110. 超 (Chāo), 句 (Jù), 於 (Wū)
#11. 邲 (Bì), 亨 (Hēng), 雀 (Qiǎo)	#61. 鸸 (Ér), 虺 (Huǐ), 隶 (Lì)	#111. 江 (Gāng), 蜃 (Shèn), 聿 (Yù)
#12. 江 (Jiāng), 飕 (Sōu), 逐 (Zhú)	#62. 南 (Nán), 曌 (Zhào), 盆 (Pén)	#112. 窕 (Tiǎo), 勾 (Gōu), 受 (Shòu)
#13. 沫 (Mò), 粘 (Nián), 厕 (Cè)	#63. 曲 (Qū), 郘 (Lǚ), 沏 (Qī)	#113. 脏 (Zàng), 济 (Jǐ), 泼 (Pō)
#14. 扇 (Shān), 郜 (Gào), 松 (Sōng)	#64. 将 (Jiàng), 夔 (Kuí), 拍 (Pāi)	#114. 轴 (Zhóu), 裴 (Péi), 嚭 (Pǐ)
#15. 霎 (Shà), 州 (Zhōu), 沸 (Fèi)	#65. 媛 (Yuán), 经 (Jīng), 扁 (Biǎn)	#115. 壬 (Rén), 符 (Fú), 贺 (Hè)
#16. 芒 (Máng), 糖 (Táng), 壶 (Hú)	#66. 甍 (Méng), 姬 (Jī), 末 (Mò)	#116. 蓥 (Yíng), 谊 (Yì), 瑕 (Xiá)
#17. 窨 (Xūn), 匡 (Kuāng), 髋 (Kuān)	#67. 趾 (Zhǐ), 旗 (Qí), 忠 (Zhōng)	#117. 窜 (Cuàn), 訇 (Hōng), 褪 (Tùn)

#18. 剥 (Bāo), 罡 (Gāng), 乩 (Jī)	#68. 沮 (Jù), 窣 (Sū), 拧 (Níng)	#118. 彦 (Yàn), 初 (Chū), 髁 (Kē)
#19. 卓 (Zhuō), 仙 (Xiān), 窀 (Zhūn)	#69. 笋 (Sǔn), 冲 (Chōng), 窗 (Chuāng)	#119. 赶 (Gǎn), 扅 (Yí), 外 (Wài)
#20. 殒 (Yǔn), 昀 (Yún), 午 (Wǔ)	#70. 只 (Zhī), 痴 (Chī), 壬 (Rén)	#120. 汍 (Wán), 惚 (Hū), 蜇 (Zhē)
#21. 餐 (Cān), 另 (Lìng), 获 (Huò)	#71. 琵 (Pí), 陕 (Shǎn), 旧 (Jiù)	#121. 扇 (Shàn), 刺 (Cī), 属 (Zhǔ)
#22. 酷 (Kù), 蛮 (Mán), 孝 (Xiào)	#72. 郑 (Zhèng), 谷 (Gǔ), 可 (Kě)	#122. 滋 (Zī), 癫 (Diān), 唇 (Chún)
#23. 员 (Yuán), 秴 (Huō), 辙 (Zhé)	#73. 截 (Jié), 凶 (Xiōng), 絜 (Jié)	#123. 馋 (Chán), 耽 (Dāngē), 月 (Yuè)
#24. 陆 (Liù), 髓 (Suǐ), 印 (Yìn)	#74. 妥 (Tuǒ), 烯 (Xī), 卒 (Zú)	#124. 贾 (Jiǎ), 亭 (Tíng), 演 (Yǎn)
#25. 岍 (Qiān), 蜚 (Fēi), 畿 (Jī)	#75. 那 (Nā), 泥 (Nì), 亨 (Hēng)	#125. 称 (Chēng), 辱 (Rǔ), 旖 (Yǐ)
#26. 沔 (Miǎn), 褪 (Tùn), 丞 (Chéng)	#76. 倡 (Chàng), 尘 (Chén), 浆 (Jiàng)	#126. 致 (Zhì), 房 (Fáng), 够 (Gòu)
#27. 碍 (Ài), 元 (Yuán), 矻 (Kū)	#77. 规 (Guī), 尕 (Gǎ), 牵 (Qiān)	#127. 疫 (Yì), 吝 (Lìn), 辩 (Biàn)
#28. 曜 (Yào), 巫 (Wū), 宾 (Bīn)	#78. 觑 (Qū), 厨 (Chú), 乃 (Nǎi)	#128. 窈 (Yǎo), 美 (Měi), 炭 (Tàn)
#29. 怠 (Dài), 昧 (Mò), 碎 (Suì)	#79. 饿 (È), 予 (Yú), 饱 (Bǎo)	#129. 橘 (Jú), 卒 (Cù), 鳔 (Biào)
#30. 爽 (Shuǎng), 耥 (Tāng), 郫 (Pí)	#80. 娲 (Wā), 泌 (Mì), 皃 (Mào)	#130. 关 (Guān), 粽 (Zòng), 曜 (Yào)
#31. 万 (Wàn), 扉 (Fēi), 脸 (Liǎn)	#81. 妻 (Qī), 左 (Zuǒ), 勾 (Gōu)	#131. 拏 (Ná), 熟 (Shú), 巷 (Hàng)
#32. 笛 (Dí), 霂 (Mù), 割 (Gē)	#82. 夒 (Náo), 压 (Yā), 瓟 (Bó)	#132. 炉 (Lú), 桂 (Guì), 觚 (Gū)
#33. 猛 (Měng), 鲌 (Bà), 印 (Yìn)	#83. 注 (Zhù), 释 (Shì), 甲 (Jiǎ)	#133. 耶 (Yé), 田 (Tián), 趔 (Liè)
#34. 畿 (Jī), 鲍 (Bào), 室 (Shì)	#84. 捂 (Wǔ), 背 (Bēi), 床 (Chuáng)	#134. 巡 (Xún), 堂 (Táng), 欲 (Yù)
#35. 关 (Guān), 珀 (Pò), 茂	#85. 松 (Sōng), 曦 (Xī), 黜	#135. 饰 (Shì), 唐 (Táng),

(Mào)	(Chù)	絮 (Xù)
#36. 席 (Xí), 郝 (Hǎo), 野 (Yě)	#86. 梵 (Fàn), 陇 (Lǒng), 委 (Wěi)	#136. 既 (Jì), 笨 (Bèn), 醐 (Hú)
#37. 矣 (Yǐ), 蹴 (Cù), 飑 (Biāo)	#87. 范 (Fàn), 毂 (Gǔ), 奴 (Nú)	#137. 龉 (Yǔ), 艮 (gèn), 痘 (Dòu)
#38. 辨 (Biàn), 汇 (Huì), 空 (Kōng)	#88. 龋 (Qǔ), 猋 (Biāo), 椅 (Yǐ)	#138. 廉 (Lián), 吉 (Jí), 减 (Jiǎn)
#39. 耸 (Sǒng), 犀 (Xī), 愤 (Fèn)	#89. 赣 (Gàn), 渣 (Zhā), 滋 (Zī)	#139. 薪 (Xīn), 贱 (Jiàn), 匍 (Pú)
#40. 答 (Dá), 她 (Tā), 熏 (Xūn)	#90. 月 (Yuè), 种 (Zhǒng), 垒 (Lěi)	#140. 銮 (Luán), 扇 (Shàn), 戒 (Jiè)
#41. 句 (Jù), 婶 (Shěn), 寄 (Jì)	#91. 半 (Bàn), 泽 (Zé), 厌 (Yàn)	#141. 我 (Wǒ), 韦 (Wéi), 靽 (Bàn)
#42. 曝 (Pù), 乘 (Chéng), 卮 (Zhī)	#92. 吉 (Jí), 曼 (Wàn), 达 (Dá)	#142. 殂 (Cú), 畜 (Xù), 圾 (Jìshēng)
#43. 灰 (Huī), 摹 (Mó), 姑 (Gū)	#93. 沏 (Qī), 吝 (Lìn), 狃 (Niǔ)	#143. 驮 (Duò), 亡 (Wáng), 普 (Pǔ)
#44. 刮 (Guā), 猴 (Hóu), 馕 (Náng)	#94. 碗 (Wǎn), 呼 (Hū), 魑 (Chī)	#144. 窊 (Wā), 笋 (Sǔn), 稚 (Zhì)
#45. 曝 (Pù), 陕 (Shǎn), 蜈 (Wú)	#95. 平 (Píng), 沪 (Hù), 枯 (Kū)	#145. 雕 (Diāo), 龃 (Jǔ), 魑 (Chī)
#46. 魇 (Yǎn), 瓿 (Bù), 姑 (Gū)	#96. 耎 (Ruǎn), 舻 (Lú), 彩 (Cǎi)	#146. 并 (Bìng), 断 (Duàn), 赟 (Yūn)
#47. 卧 (Wò), 泻 (Xiè), 递 (Dì)	#97. 晞 (Xī), 匍 (Pú), 夫 (Fú)	#147. 辘 (Lù), 殊 (Shū), 闻 (Wén)
#48. 刻 (Kè), 艮 (Gěn), 郦 (Lì)	#98. 粪 (Fèn), 坏 (Huài), 跟 (Gēn)	#148. 差 (Chā), 忒 (Tè), 耧 (Lóu)
#49. 斡 (Wò), 沮 (Jù), 贺 (Hè)	#99. 秃 (Tū), 豨 (Xī), 考 (Kǎo)	#149. 重 (Chóng), 戡 (Kān), 罝 (Jū)
#50. 樊 (Fán), 克 (Kè), 朝 (Cháo)	#100. 垃 (Lā), 闻 (Wén), 鳌 (Áo)	#150. 拧 (Níng), 符 (Fú), 索 (Suǒ)

Milton Keynes UK
Ingram Content Group UK Ltd.
UKHW050646181223
434584UK00014B/963